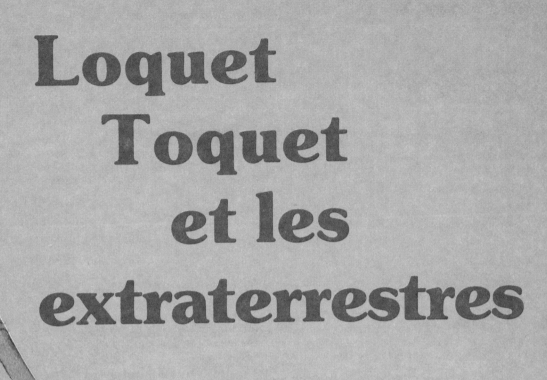

Loquet Toquet et les extraterrestres

Ray Sipherd
Illustration Sammis McLean

Traduction Pauline Normand

*Avec les personnages de
Sesame Street créés
par Jim Henson*

CLUB DU LIVRE RUE SÉSAME
Publié par Laffont Canada Ltée en collaboration
avec Children's Television Workshop.

Imprimé aux États-Unis. Tous droits réservés.
ISBN 2-89149-296-X.

Titre original: Sherlock Hemlock and the Creatures from Outer Space
Publié par Western Publishing Company Inc. en collaboration
avec C.T.W.
ISBN 0-307-23132-1

Aujourd'hui, Loquet Toquet, le plus grand détective du monde, est assis confortablement dans son fauteuil et lit un livre sur les extraterrestres.

Il lit: «... sur la planète SNARF vivent d'étranges créatures aux pouvoirs incroyables. Ces créatures se préparent à visiter les autres planètes, en commençant par la planète TERRE!...»

«Heureusement que ce n'est qu'une histoire,» se dit Loquet Toquet. «Si je n'étais pas le brave détective que je suis, j'aurais bien peur.»

Soudain, dehors, il entend des gens crier et courir.

Loquet Toquet regarde par la fenêtre et aperçoit tout le monde qui court dans la rue.

«Ça se rapproche,» crie Bébert les yeux au ciel. «Vite! Rentrons!»

«Parbleu!» s'exclame Loquet Toquet en voyant tout le monde courir se mettre à l'abri.

«Il y a quelque chose d'étrange qui vient. Tout le monde a peur et s'enfuit! Qu'est-ce que ça peut bien être?»

«Ah! J'ai trouvé! Les habitants de SNARF arrivent! Et bien moi, Loquet Toquet, je vais trouver ces créatures et je vais les chasser!»

Quand Loquet Toquet arrive dehors, la rue Sésame
est déserte. Il ne remarque pas les nuages noirs ni les
feuilles qui tremblent dans les arbres ni les branches
qui se balancent au vent.

Il est trop occupé à chercher les extraterrestres.

Puis il entend un grondement au loin.

Il grimpe à toute allure sur le toit du 123 rue Sésame et regarde dans toutes les directions. Le grondement semble se rapprocher. «Zimzaka!» s'écrie Loquet Toquet.

«C'est certainement le bruit des navettes spatiales qui approchent.»

Loquet Toquet redescend aussitôt. Le vent se met à SIFFLER rue Sésame. Loquet Toquet s'arrête pour écouter.

«Ha! Ha! Ce bruit puissant, ce doit être le sifflement des moteurs de la fusée. Comment! Les habitants de SNARF posent leur navette spatiale en pleine rue Sésame!»

CLAC! La porte de la clôture près du nid de Plumeau se referme d'un coup. «Tiens, voilà où les extraterrestres se cachent!» se dit Loquet Toquet.

Loquet Toquet ouvre la porte et
regarde dans le nid... Il n'y a personne.

16

Tout à coup, des éclairs sillonnent le ciel et le tonnerre retentit avec fracas.

«Voilà maintenant que les extraterrestres se font des signaux!» crie Loquet Toquet. «Ils battent du tambour pour me faire peur! Mais, est-ce que j'ai peur?» se demande-t-il. «N...n...non!» répond-il. «J...j...ja... jamais Loquet Toquet n'a peur!»

Le vent souffle de plus en plus fort. Des boîtes de conserve vides roulent dans la rue. Des feuilles et des papiers tourbillonnent autour de Loquet Toquet.

«Ha! Ha!» lance-t-il plus fort que le bruit du vent. «Voilà maintenant que les habitants de SNARF lancent des choses. Ils doivent être très fâchés! Mais moi, Loquet Toquet, le plus grand détective du monde, je ne m'enfuirai pas!»

BOUM! Un objet de métal rond et solide frappe le grand détective à la tête et, du même coup, le renverse par terre.

«C'est exactement ce que je pensais,» dit Loquet Toquet, assis sur le trottoir. «J'ai été frappé par une petite soucoupe volante!»

«Je vais l'utiliser pour me cacher,» dit Loquet Toquet. Et il tient la soucoupe volante au-dessus de sa tête.

Au même moment, des centaines de grêlons se mettent à tomber du ciel.

«Sapristi!» s'écrie Loquet Toquet. «Maintenant, les extraterrestres me lancent des pierres!»

Puis il se met à pleuvoir. Mais Loquet Toquet entend maintenant autre chose. «Des pas! J'entends les pas des extraterrestres qui viennent dans la rue.

Et ils s'approchent de moi... plus près... plus PRÈS... PLUS PRÈS!» Tout à coup, il aperçoit...

... deux petits enfants.

Ils ont les cheveux tout ébouriffés à cause du vent et leurs vêtements sont trempés par la pluie. Ils s'abritent sous le couvercle avec Loquet Toquet. «Est-ce que nous pouvons rester à côté de vous?» demandent-ils.

«Parbleu!» dit Loquet Toquet en les voyant. «Avec vos cheveux en bataille et vos vêtements trempés, vous êtes sûrement des créatures de SNARF!»

«Nous ne sommes pas des habitants d'ailleurs,» disent les enfants. «Nous sommes Polka et Néroli de l'autre bout de la rue Sésame. Le vent nous a poussés jusqu'ici et l'éclair et le tonnerre nous ont fait peur. Nous avons reçu des grêlons et la pluie nous a tout trempés!»

«Qu'est-ce que vous dites?» demande Loquet Toquet. «Il y avait du vent? Des éclairs? Du tonnerre? Des grêlons? Et de la pluie?»

«Oui,» dit Polka. «Nous avons été pris dans le gros orage.»

«Attendez!» crie Loquet Toquet. «J'ai la solution!»

«Écoutez tous!» crie Loquet Toquet. «Sortez! Il n'y a rien à craindre. Ce ne sont pas les habitants de SNARF. Il y a seulement ces deux petits enfants... qui ont été pris dans un GROS ORAGE!»

Peu à peu, les nuages se dissipent et le soleil se remet à briller. Loquet Toquet, le plus grand détective du monde, reprend son chemin et cherche un autre mystère à résoudre.